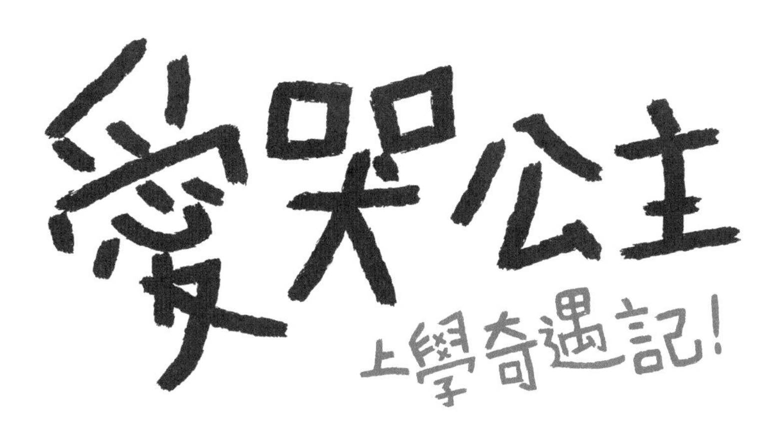

賴曉妍×賴馬 手牽手演出

這是一個真實事件，記錄史上最愛哭的愛咪公主如何被馴化的奇妙歷程，喔不，是被循循善誘、搖身一變，成為史上最神祕之「山雨小學」的明星學生。其間的風風雨雨，包括突破萬難求學記、暴雨逃生記、食堂驚魂記等等，請各位大朋友、小朋友大眼瞪小眼、一同見證，也歡迎大手牽小手、聯手演出——保證驚奇不間斷、歡樂無窮。

愛咪公主

★★★★★★★★★★★★

就是世界知名的「愛哭公主」，個性晴時多雲偶陣雨，暴風驟雨般的情緒背後，有一顆善良真摯的心。

皇后

★★★★★★

耐心百分百的溫柔母后，最大的心願是送愛女前往三語學校，學習名門閨秀必修課程：如何哭得得體、哭得恰到好處。

裁縫師

★★★★★★★★★

負責幫愛咪公主圓夢的忠實僕人，無論是怎樣不可思議的夢想，他全部使命必達。

大熊老師

★★★★★★★★★★★★

山雨小學最有耐心、最擅長機會教育的老師。他的口頭禪是「天天五七九！」

阿古力

雖然性情不穩定，但是擁有一口烤肉丸子的好功夫。

雙胞胎兄弟檔

山雨小學的學生，也是全校最貪吃的雙胞胎兄弟，從溪魚蒸蛋、香甜螞蟻派到香烤山雨肉丸，都是他們的最愛。藍色是哥哥，綠色是弟弟。

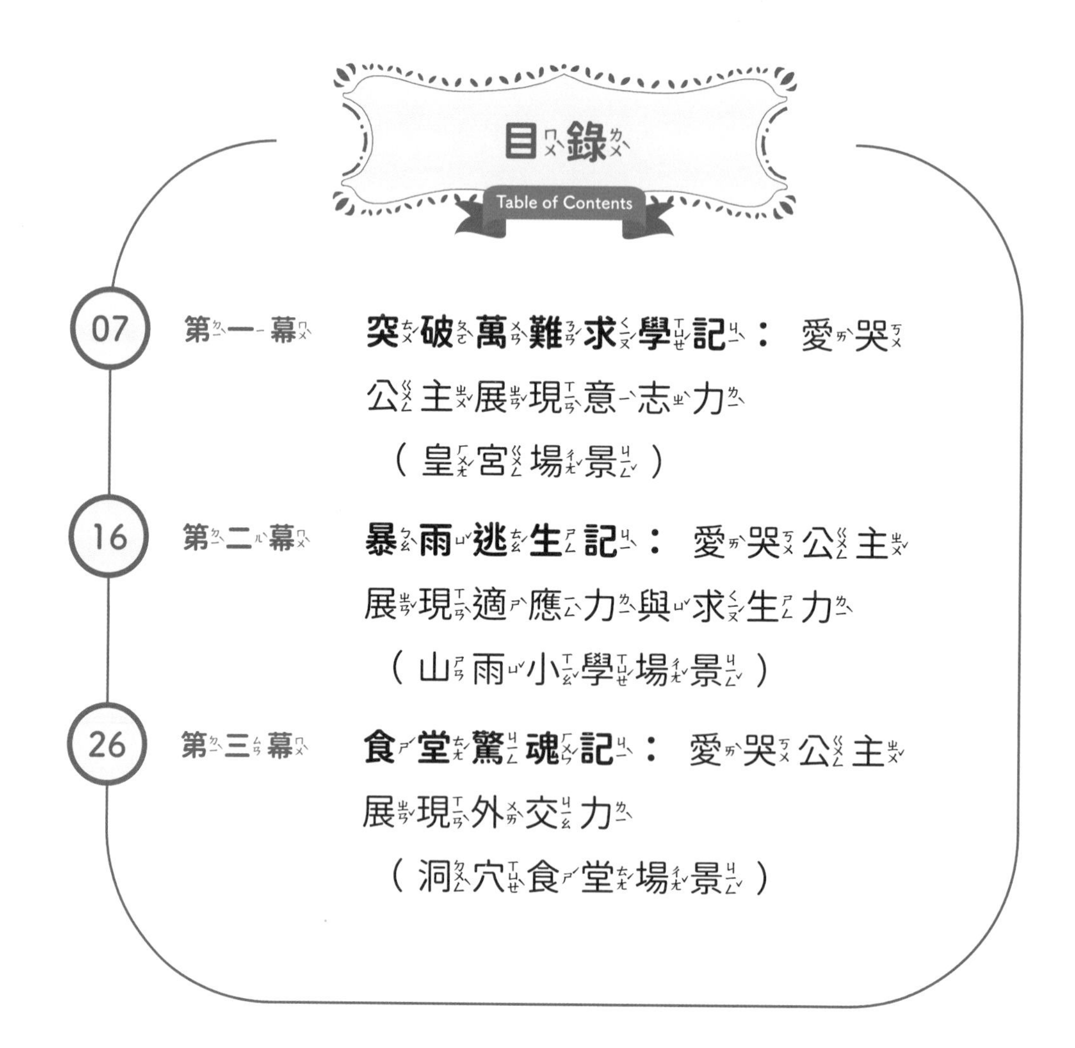

目錄

Table of Contents

第一幕

★ Act 1 ★

突破萬難求學記

★★★★★

第一景

★ Scene 1 ★

愛咪看著窗外的花園，小鳥在樹枝上跳躍、蝴蝶在花叢中飛舞，連園丁都輕快的哼著歌。她擦完最後一片指甲，開始覺得無聊。最後，終於受不了了。

愛咪公主大聲的說：母后！母后！我想去上學！（蹦蹦跳跳）

皇后看著愛咪：太好了！三國的交界，有一間三語學校，聽說鄰國的公主和王子們都在那裡求學。（聲音優雅、面帶微笑）

母后！
母后！

上學，對愛咪來說，是一個絕對不能輸的重要場合。

愛咪公主：幫我做一套「眼睛一亮，上學王牌裝」！上學第一天，就要讓學校所有的人都印象深刻，又不能太刻意。

裁縫師：是的，公主殿下！（聲音發抖，每個字都拖長兩秒鐘）

第二景

★ Scene 2 ★

兩個星期後，愛咪公主指定的「眼睛一亮，上學王牌裝」完成了。

那是一件水手服洋裝，款式很適合上學，尺寸也非常完美。

裁縫師：噠啦！公主殿下，這是您的新衣！喜歡嗎？

愛咪公主：難道這就是所謂的低調奢華風嗎？（瞄了新衣服一眼，眉頭皺了起來……）

裁縫師：沒錯！（自信滿滿的展示新衣）

愛咪公主：「太普通了！太普通了！太普通了啦！哇！！」（請演出至少五種哭法。演技參考：從眼眶紅到嗚咽、從嗚咽到啜泣、最後從啜泣到嚎啕大哭。）

第三景

★ Scene 3 ★

整個皇宮的人瞬間慌了手腳，經過兩小時又五十八分鐘的「務必讓公主滿意大作戰」，洋裝終於修改完工了。

愛咪公主：對對對，這才是我想要的「眼睛一亮，上學王牌裝」。

裁縫師：沒錯，我的眼睛都睜不開了！（邊哭邊說）

皇后：寶貝，你真棒！（偷偷流下一滴淚）

皇家禮車在皇宮門口等著。

愛咪公主：「大家 bye-bye！我要上學了！不用太想我唷！」她向大家揮揮手，卻發現根本擠不進皇家禮車。

愛咪公主：嗚……

▶ 愛咪公主如何突破萬難上學呢？請見《山雨小學 1：愛哭公主上學去！》

第二幕
★ Act 2 ★

暴ㄅㄠˋ雨ㄩˇ逃ㄊㄠˊ生ㄕㄥ記ㄐㄧˋ

★★★★★

第一景

★ Scene 1 ★

愛咪公主：這裡是三語學校嗎？怎麼不太像公主和王子會來的學校……（看著過於「自然」的環境，她唸唸有詞，然後用力拍手），我知道了！這裡一定是野外求生體驗營！母后說得沒錯，果然是好學校，破破爛爛的東西全都做得好逼真啊！

愛咪公主眼前突然走來……一隻長得像青蛙的……青蛙？他有一張大大的嘴巴、綠色的皮膚、嘴角還冒著火，看起來脾氣不太好。

愛咪公主：　哈囉！你好，請問這裡是三語學校嗎？

阿古力：　沒錯，這裡是「山雨小學」，因為我們這裡最多「山雨」了！

（抬頭看山頭的烏雲）

愛咪公主：　冒昧請問，您是哪一國的王子呢？

阿古力：王子？我嗎？哈哈哈……我叫阿古力，自從感染過噴火病，只要一激動，就開始冒火。有時候很生氣，也會噴出大火，所以大家也會叫我噴火龍。

愛咪公主：原來不是青蛙！人家可是『龍族』的王子！（小聲驚呼）

愛咪公主內心戲（請大聲的演出來）

「阿古力就跟我一樣，有時候是討人喜歡的愛咪公主、有時候會變成愛哭公主。」看著阿古力，她有一種同病相憐的感覺。

愛咪公主：阿同學！你現在是我在班上最好的朋友了，教室在哪裡？一起去上課吧！（熱情的牽著阿古力的手）

他們手牽著手，走進茅草屋……喔不！是教室。

第二景

★ Scene 2 ★

阿古力：第一堂是數學課，數學老師是樹懶小姐。她通常會遲到四十五分鐘左右，每次都還滿準時的。

愛咪公主：一堂課幾分鐘呢？

阿古力：五十分鐘。

愛咪和阿古力找了空位坐下，兩人就在隔壁。在新班級有了好朋友，愛咪感覺一切都很順利。

愛咪公主內心戲（請大聲的演出來）

「其實，這個教室也別有一番風情呢！」愛咪環顧教室，看見破了洞的屋頂，灑進點點陽光，心想：「真是通風又兼具自然採光的好設計。」她甚至想起以前和父王、母后去度假的小屋。

創意
幽默
挑戰
Calm

忽然間陽光消失了，天空一下子暗了下來。雨水從草屋的屋頂滴落，然後像小河一樣流進教室，最後像瀑布，嘩啦啦的從天而降。整間教室，只有愛咪公主感到驚訝，其他同學都一副習以為常的樣子。

愛咪公主：那是瀑布嗎？
阿古力：不是，是「山雨」。
愛咪公主：什麼「三語」？

▶ 愛咪公主該如何脫困？請見《山雨小學 1：愛哭公主上學去！》

第三幕

★ Act3 ★

食堂驚魂記

★★★★★

第一景

★ Scene 1 ★

學生餐廳在山洞裡，石桌、石椅還有岩壁上的火把和壁畫，都像在原始叢林。

愛咪公主：哇嗚！好酷啊！是在地風味餐嗎？（眼冒愛心）

雙胞胎兄弟：我們餐廳的食物有點⋯⋯特別喔！（在愛咪耳邊小聲說）

雙胞胎兄弟：聽說廚師以前是鄰國的三星餐廳主廚。因為舌頭被毒蜜蜂叮了，後來味覺就有點怪怪的。（兩人輪流說話，鬼鬼祟祟、東張西望）

阿古力：好處是，這裡可以自由選擇自己想吃的餐點。

蝸牛野菜羹
微辣!
醬爆蚱蜢
推薦
青蛙蛋生乳捲
焦黑石板燒
巧克力口味
溪魚蒸蛋
野菇
春捲菜裡有蟲湯
健康
樹汁冰沙

愛咪公主：蟲卵蘆筍手捲、香酥蚯蚓拼盤……

呃，我好想念皇宮裡的食物啊！

阿古力：我幫你點好啦，兩份山雨水煮肉丸！一份只要古怪幣五元！

雙胞胎哥哥：　我要溪魚蒸蛋！

雙胞胎弟弟：　我要青蛙蛋生乳捲！

第二景

★ Scene 2 ★

用餐區的正中央有一張長長的餐桌，那裡坐著一隻黑熊，是健康課兼自然課老師大熊先生。

大熊老師：這裡這裡！還有很多空位唷！

大熊先生向大家招招手，大家才剛坐好，還沒來得及吃呢！熱愛教學的大熊先生的職業病就犯了。

大熊老師：嘿、嘿、嘿！

嘿
嘿
嘿
knowledge

大熊老師：小孩每天要吃幾份蔬果？（邊跳邊問）

雙胞胎哥哥：五份！（雀躍不已）

大熊老師：媽媽每天要吃幾份蔬果？

雙胞胎弟弟：七份！（默契十足）

大熊老師：爸爸每天要吃幾份蔬果？

阿古力：九份！（聲音宏亮，說完大吼一聲）

大熊老師：這一題，下次健康課會考喲！（哈哈大笑）

大熊老師：來！同學們一起說！（高喊健康口號）

雙胞胎兄弟：天天五七九！

阿古力：快樂五七九！

愛咪公主在旁邊一臉狐疑。

大熊老師：　這位新同學，你也一起來！好吃的東西能讓人開心，你知道嗎？（走向愛咪公主）

大熊老師：　阿同學，你來示範。（對阿古力眨眨眼）

大熊老師：　請仔細觀察，吃下大廚的招牌肉丸會出現什麼反應吧！（對大家呵呵笑）

阿古力咬下一顆肉丸，嚼啊嚼啊……他的臉色開始發白、發紫、又發紅，最後……轟——噴出了大火！

大熊老師：誰知道阿同學怎麼了？
愛咪公主：肉丸很難吃，所以他發火了！
（公主搶答成功、得意洋洋）

沒想到，阿古力的大火，把剩下的水煮肉丸，瞬間變成香噴噴的烤肉丸。

雙胞胎哥哥：好香啊！
雙胞胎弟弟：我們快去咬一口！

雙胞胎兄弟：真是太好吃了！（吃得津津有味）
阿古力看著烤焦的肉丸，勇敢咬了一口：真的超級美味！（咧嘴大笑）
大熊老師：誰知道阿同學怎麼了？

沒有人回答。雙胞胎兄弟、愛咪公主都圍在阿古力身旁忙著「點餐」。

愛咪公主：我要微焦，謝謝！

雙胞胎哥哥：我要七分熟！

雙胞胎弟弟：我要三分熟！

大熊老師高聲說：各位同學，阿古力已經完美的為我們示範食物對心情的影響。

來，天天五七九！

大家齊聲說：烤肉生氣才會有！

▶ 想知道山雨小學還會颳什麼風、下什麼雨？
請見《山雨小學 1：愛哭公主上學去！》，跟著公主一起親身體驗！

Q1 要進入這所學校有什麼必要條件？

A 山雨小學是古怪國國王特許的實驗學校，起初學生以古怪國當地的孩子爲主，後來因爲招生不足，所以後來漸漸變成只要有點古怪的孩子都能申請入學。

Q2 什麼樣的學生最適合入學？

A 古怪國的學校，當然要特別的學生才收啊！可以是特別愛哭的、特別愛生氣的、特別會噴火的、特別會游泳的、特別會讀書的……連特別乖的小珍珠都是山雨小學的學生喔！這樣看來，有誰不是特別的呢？

Q3 學校有哪些老師？

A 首先登場的是數學老師樹懶小姐、健康課兼自然課的大熊老師和游泳課老師山豬教練。預告下一集會有一位超厲害的重量級老師來到山雨小學！

Q4 學校提供哪些課程？

A 課程大多是為了適應古怪的環境而設計，但真正上課狀態很有彈性，像是山雨來襲的時候，就會立刻變成緊急避難訓練課，泳池到達滿水位時，會改上臨時游泳課，所以學生每天都要帶著泳衣泳褲。

Q5 一年要上學幾天？

A 不一定。去年上了一百五十八天課，但前年因為老師不約而同都請假去環遊三國，所以只上了六十二天課。最高紀錄是四百一十三天，最低紀錄是十五天。

Q6 班上有幾個同學？

A 看書裡的插圖數一數最準確了。但是有時候會多幾個或少幾個，不保證每天都一樣，也不保證學生每天都能走對教室喔！

Q7 早上幾點要上學？

A 三國（古怪國、百香國、奇異國）標準時間的九點是早上的第一堂課。

Q8 有沒有制服日？

A 山雨小學目前沒有制服，因為古怪國的居民有著各式各樣的外型，要客製多種版型難度太高。但因為愛哭公主就讀山雨小學的因素，百香國皇后已派出技術高超的皇家裁縫師為山雨小學著手設計制服。

Q8 什麼時候放假？

A 經常會發生不能上課的狀況，但沒有一般認知上的假期。

Q10 有沒有校車？都是誰在坐？

A 除了校車，山雨小學更常使用的其實是「校船」。校車通常用於校外教學，沒有校外教學時，也會幫忙接送附近需要坐船的居民。

Q11 去哪裡校外教學？

A 豐富的校外教學活動，是山雨小學的特色。各種精采的校外教學奇遇記，請鎖定「山雨小學」系列故事！

Q12 創校宗旨？

A 為童話世界培育出堂堂正正古古怪怪的好孩子。

配件介紹

紙偶 8 個　愛咪公主 x2（居家版＆上學版）、皇后、裁縫師、阿古力、雙胞胎哥哥 & 弟弟、大熊老師

布景卡 3 張　皇宮、山雨小學教室、洞穴食堂

其他物件　山雨水煮肉丸

使用規則

請依照劇本的對話與聲音表情、動作指導演出，歡迎即興加入自己喜歡的臺詞和情節。可依照不同情節，輪流更換三張布景卡。

！！！重要聲明！！！
演出內容若有與愛咪公主完美形象矛盾之處，
百香國皇室將保留追訴權。

組裝步驟①、②、③

step ①
裝上立體劇場

加上布景卡

step ③
用紙偶演出

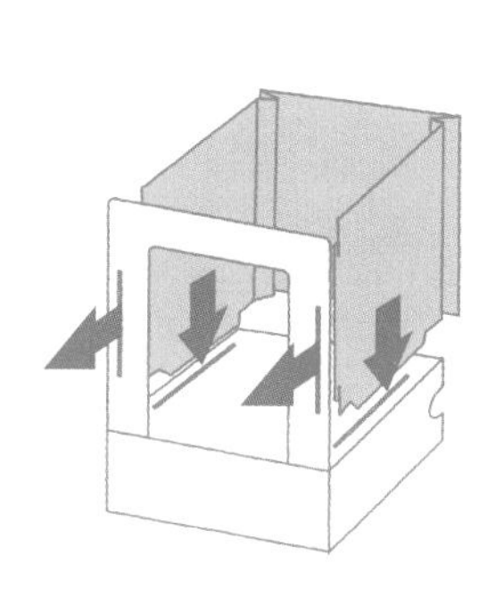

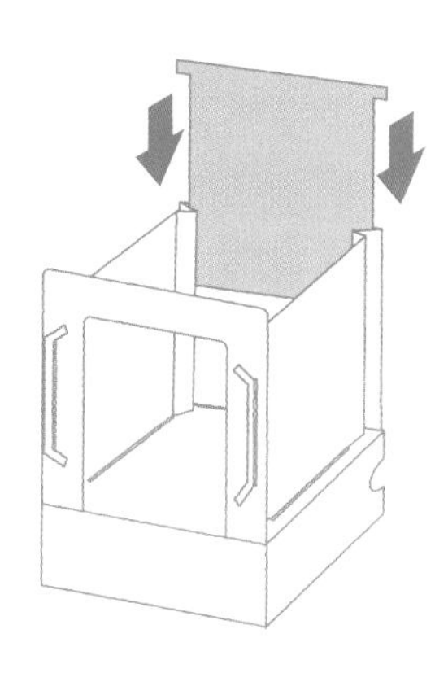

繪本 0337

愛哭公主上學奇遇記：山雨小學之風風雨雨小劇場

原著｜賴曉妍×賴馬　繪者｜賴馬　劇本改寫｜蔡忠琦

責任編輯｜蔡忠琦　劇本美術設計｜王瑋薇
mini 劇場責任編輯｜張佑旭、蔡忠琦
mini 劇場美術設計｜曾偉婷
行銷企劃｜高嘉吟

天下雜誌群創辦人｜殷允芃　董事長兼執行長｜何琦瑜
媒體暨產品事業群
總經理｜游玉雪　副總經理｜林彥傑　總編輯｜林欣靜
行銷總監｜林育菁　資深主編｜蔡忠琦　版權主任｜何晨瑋、黃微真

出版者｜親子天下股份有限公司　地址｜台北市 104 建國北路一段 96 號 4 樓
電話｜（02）2509-2800　傳真｜（02）2509-2462　網址｜www.parenting.com.tw
讀者服務專線｜（02）2662-0332　週一～週五：09:00~17:30
傳真｜（02）2662-6048　客服信箱｜parenting@cw.com.tw
法律顧問｜台英國際商務法律事務所・羅明通律師
製版印刷｜中原造像股份有限公司
總經銷｜大和圖書有限公司　電話：（02）8990-2588

出版日期｜2023 年 8 月第一版第一次印行
定價｜499 元　書號｜BKKP0337P　ISBN｜978-626-305-518-6（平裝）

國家圖書館出版品預行編目（CIP）資料

愛哭公主上學奇遇記：山雨小學之風風雨雨小劇場／賴曉妍, 賴馬原著；蔡忠琦劇本改寫. -- 第一版. -- 臺北市：親子天下股份有限公司, 2023.08　48面；16.5x16 公分. --（繪本；0337）國語注音ISBN 978-626-305-518-6（平裝）
1.SHTB: 圖畫故事書--3-6歲幼兒讀物
863.599　　112008866